KB064087

맑은 마음으로 읽는
계몽편

啓蒙篇
계 몽 편

啓열 계 蒙어릴 몽 篇책 편

들어가는 글

조선시대 어린 아이들의 예절 교육을 위한 교재로써 구성은 수편(首篇) · 천편(天篇) · 지편(地篇) · 물편(物篇) · 인편(人篇) 등 5편으로 되어 있다.

수편(首篇)에는 하늘과 땅 해와 달 등의 우주와 자연, 인륜, 방위와 색깔, 맛, 소리와 숫자에 관하여 이야기했다.

천편(天篇)에서는 우리가 살고 있는 지구를 중심으로 한 우주의 질서를 별자리와 천간(天干), 지지(地支) 그리고 사계절의 변화를 이야기했다.

지편(地篇)에서는 산과 바다 그리고 그곳을 중심으로 일어나는 자연현상과 나라를 세우는 과정, 그리고 음양오행의 상생과 상극법을 이야기했다.

물편(物篇)에서는 인간의 삶과 밀접한 연관이 있는 동물과 식물에 대하여 이야기했다.

인편(人篇)에서는 다섯 가지 인간이 지켜야 할 예절 덕목과 글 공부의 중요성을 강조하였으며 배움을 통해 올바른 몸가짐과 생각을 실천할 수 있도록 구용(九容)과 구사(九思)의 덕목을 이야기했다.

이 책을 통해 어려서부터 인간과 자연을 알고 그곳에서 함께 공존하는 법인 예절을 배우고 익혀서 올바른 의식과 실천으로 스스로의 삶을 윤택하게 하였으면 한다

단기 4354년 양력 4월 30일

洪川 德潤齋에서 無性居士

首篇

(수편: 시작하는 글)

首머리 수 篇책 편

上有天하고 下有地하니

나의 머리 위로는 하늘이 있고 나의 발아래로는 땅이 있으니

上윗 상 有있을 유 天하늘 천 下아래 하 有있을 유 地땅 지

天地之間에 有人焉하고

有萬物焉인데

하늘과 땅 사이에는 다양한 사람이 있고 온갖 만물도 있는데

天하늘 천 地땅 지 之어조사 지 間사이 간 有있을 유 人사람 인 焉어조사 언 有있을 유 萬일만 만 物물건 물 焉어조사 언

日月星辰者는 天之所係也요

그중에 해와 달과 별들의 것들은 하늘에 매달려 있고

日해 일 月달 월 星별 성 辰별 신 者이것 자 天하늘 천 之어조사 지 所바 소 係맬 계 也어조사 야

江海山嶽者는 地之所載也요

강과 바다와 산악의 것들은 땅 위에 실려 있고

江강 강 海바다 해 山뫼 산 嶽큰산 악 者이것 자 地땅 지 之어조사 지 所바 소 載실을 재 也어조사 야

父子君臣夫婦長幼朋友者는

人之大倫也니라

부모와 자식 임금과 신하 남편과 아내 어른과 아이 친구와 친구는 사람이 지켜야 할 큰 윤리에 속해있다

父부모 부 子자식 자 君임금 군 臣신하 신 夫남편 부 婦아내 부 長어른 장 幼어린아이 유 朋벗 붕 友벗 우 者이것 자 人사람 인 之어조사 지 大큰 대 倫인륜 륜 也어조사 야

以東西南北으로

定天地之方하고

동 서 남 북 으로써 하늘과 땅의 방향을 정하고

以써 이 東동쪽 동 西서쪽 서 南남쪽 남 北북쪽 북 定정할 정 天하늘 천 地땅 지 之어조사 지 方방향 방

以青黃赤白黑으로

定物之色하고

청 황 적 백 흑 으로써 사물의 색깔을 정하고

以써 이 青푸를 청 黃누를 황 赤붉을 적 白흰 백 黑검을 흑 定정할 정 物물건 물 之어조사 지 色빛 색

以酸鹹辛甘苦로

定物之味하고

산 함 신 감 고 로써 사물의 맛을 정하고

以써 이 酸실 산 鹹짤 함 辛매울 신 甘달 감 苦쓸 고 定정할 정 物물건 물 之어조사 지 味맛 미

以宮商角徵羽로

定物之聲하고

궁 상 각 치 우 로써 물건의 소리를 정하고

以써 이 宮소리 궁 商소리 상 角소리 각 徵소리 치 羽소리 우 定정할 정 物물건 물 之어조사 지 聲소리 성

以一二三四五六七八九十

百千萬億으로 總物之數니라

일 이 삼 사 오 륙 칠 팔 구 십 백 천 만 억 으로써 모든 물건의 수를 헤아린다

以써 이 一한 일 二두 이 三석 삼 四넉 사 五다섯 오 六여섯 육 七일곱 칠 八여덟 팔 九아홉 구 十열 십 百일백 백 千일천 천 萬일만 만 億억 억
總모을 총 物물건 물 之어조사 지 數셈 수

天篇

(천편 : 하늘에 관한 이야기)

日出於東方하여 入於西方하니

해는 동쪽에서 떠올라 서쪽으로 들어가니

日해 일 出날 출 於늘 어 東동쪽 동 方방위 방 入들 입 於늘 어 西서쪽 서 方방위 방

日出則爲晝요 日入則爲夜니

해가 떠올라 밝으면 낮이 되고 해가 지고 어두워지면 밤이 되니

日해 일 出날 출 則곧 즉 爲될 위 晝낮 주 日해 일 入들 입 則곧 즉 爲될 위 夜밤 야

夜則月星이 著見焉하니라

밤에는 달과 별들이 나타나 보인다

夜밤 야 則곧 즉 月달 월 星별 성 著드러날 저 見볼 현 焉어조사 언

天有緯星하니 金木水火土五星이 是也요

하늘에는 위성이 있으니 금성 목성 수성 화성 토성의 다섯 별들이 이것이라

天하늘 천 有있을 유 緯가로지를 위 星별 성 金쇠 금 木나무 목 水물 수 火불 화 土흙 토 五다섯 오 星별 성 是이 시 也어조사 야

有經星하니 角亢氐房心尾箕, 斗牛女虛危室壁, 奎婁胃昴畢觜參, 井鬼柳星張翼軫 二十八宿가 是也니라

경성이 있으니 각 항 저 방 심 미 기, 두 우 녀 허 위 실 벽, 규 류 위 묘 필 자 삼, 정 귀 유 성 장 익 진 이십팔수가 이것이라

有있을 유 經지날 경 星별 성 角별 각 亢별 항 氐별 저 房별 방 心별 심 尾별 미 箕별 기 斗별 두 牛별 우 女별 녀 虛별 허 危별 위 室별 실 壁별 벽 奎별 규 婁별 루 胃별 위 昴별 묘 畢별 필 觜별 자 參별 삼 井별 정 鬼별 귀 柳별 류 星별 성 張별 장 翼별 익 軫별 진 二두 이 十열 십 八여덟 팔 宿별 수 是이 시 也어조사 야

* 동쪽 7수 각(角) 항(亢) 저(氐) 방(房) 심(心) 미(尾) 기(箕)
* 북쪽 7수 두(斗) 우(牛) 여(女) 허(虛) 위(危) 실(室) 벽(壁)
* 서쪽 7수 규(奎) 루(婁) 위(胃) 묘(昴) 필(畢) 자(觜) 삼(參)
* 남쪽 7수 정(井) 귀(鬼) 유(柳) 성(星) 장(張) 익(翼) 진(軫)

一晝夜之內에 有十二時하니

十二時이 會而爲一日하고

한낮과 밤에는 12시간이 있으니 12시간이 모여서 하루가 되고

一한 일 晝낮 주 夜밤 야 之어조사 지 內안 내 有있을 유 十열 십 二두 이 時때 시 十열 십 二두 이 時때 시 會모일 회 而말이을 이 爲될 위 一한 일 日날 일

三十日이 會而爲一月하고

十有二月이 合而成一歲니라

30일이 모여서 한달이 되고 12달이 모여서 한해가 된다

三석 삼 十열 십 日날 일 會모일 회 而말이을 이 爲될 위 一한 일 月달 월 十열 십 有있을 유 二두 이 月달 월 合모을 합 而말이을 이 成이룰 성 一한 일 歲해 세

月或有小月하니 小月則二十九日이 爲一月이요

달에는 혹 작은 달이 있으니 작은 달은 29일이 한 달이 되고

月달 월 或혹 혹 有있을 유 小작을 소 月달 월 小작을 소 月달 월 則곧 즉 二두 이 十열 십 九아홉 구 日날 일 爲될 위 一한 일 月달 월

歲或有閏月하니 有閏則十三月이 成一歲니라

한 해에는 혹 윤달이 있으니 윤달은 13달이 한 해가 된다

歲해 세 或혹 혹 有있을 유 閏윤달 윤 月달 월 有있을 유 閏윤달 윤 則곧 즉 十열 십 三석 삼 月달 월 成이룰 성 一한 일 歲해 세

十二時者는 卽地之十二支也니

12시라고 하는 것은 곧 땅의 십이지이니

十열 십 二두 이 時때 시 者이것 자 卽곧 즉 地땅 지 之어조사 지 十열 십 二두 이 支지지 지 也어조사 야

所謂十二支者는 子丑寅卯辰巳午未申酉戌亥也요

12지라는 것은 자 축 인 묘 진 사 오 미 신 유 술 해를 말함이오

所바 소 謂이를 위 十열 십 二두 이 支지지 지 者이것 자 子첫 번째 지지 자 丑두 번째 지지 축 寅세 번째 지지 인 卯네 번째 지지 묘 辰다섯 번째 지지 진 巳여섯 번째 지지 사 午일곱 번째 지지 오 未여덟 번째 지지 미 申아홉 번째 지지 신 酉열 번째 지지 유 戌열한 번째 지지 술 亥열두 번째 지지 해 也어조사 야

天有十干하니 所謂十干者는 甲乙丙丁戊己庚辛壬癸也니라

하늘에는 십간이 있으니 십간이라는 것은 갑 을 병 정 무 기 경 신 임 계를 말함이라

天하늘 천 有있을 유 十열 십 干천간 간 所바 소 謂이를 위 十열 십 干천간 간 者이것 자 甲첫 번째 천간 갑 乙두 번째 천간을 丙세 번째 천간 병 丁네 번째 천간 정 戊다섯 번째 천간 무 己여섯 번째 천간 기 庚일곱 번째 천간 경 辛여덟 번째 천간 신 壬아홉 번째 천간 임 癸열 번째 천간 계 也어조사 야

天之十干이 與地之十二支로
相合而爲六十甲子하니

하늘의 십간이 땅의 십이지와 서로 합하여 육십갑자가 되니

天하늘 천 之어조사 지 十열 십 干천간 간 與더불어 여 地땅 지 之어조사 지 十열 십 二두 이 支지지 지 相서로 상 合모일 합 而말이을 이 爲될 위 六여섯 육 十열 십 甲첫 번째 천간 갑 子첫 번째 지지 자

所謂六十甲子者는 甲子乙
丑丙寅丁卯로 至壬戌癸亥가
是也니라

육십갑자라고 말하는 것은 갑자 을축 병인 정묘로부터 임술 계해에 이르기까지가 이것이다

所바 소 謂이를 위 六여섯 육 十열 십 甲첫 번째 천간 갑 子첫 번째 지지 자 者이것 자 甲첫 번째 천간 갑 子첫 번째 지지 자 乙두 번째 천간 을 丑두 번째 지지 축 丙세 번째 천간 병 寅세 번째 지지 인 丁네 번째 천간 정 卯네 번째 지지 묘 至이를 지 壬아홉 번째 천간 임 戌열한 번째 지지 술 癸열 번째 천간 계 亥열두 번째 지지 해 是이 시 也어조사 야

十有二月者는 自正月二月로 至十二月也라

열두 달이라는 것은 정월과 이월에서부터 십이월에 이르기까지다

十열 십 有있을 유 二두 이 月달 월 者이것 자 自스스로 자 正바를 정 月달 월 二두 이 月달 월 至이를 지 十열 십 二두 이 月달 월 也어조사 야

一歲之中에 亦有四時하니 四時者는 春夏秋冬이 是也니라

1년 중에 또한 사시가 있으니 사시라는 것은 봄 여름 가을 겨울이 이것이다

一한 일 歲해 세 之어조사 지 中가운데 중 亦또 역 有있을 유 四넉 사 時때 시 四넉 사 時때 시 者이것 자 春봄 춘 夏여름 하 秋가을 추 冬겨울 동 是이 시 也어조사 야

以十二月로 分屬於四時하니

열두 달로써 사시에 나누어 속하게 하니

以써 이 十열 십 二두 이 月달 월 分나눌 분 屬속할 속 於늘 어 四넉 사 時때 시

正月二月三月은 屬之於春하고

정월 이월 삼월은 봄에 속하고

正바를 정 月달 월 二두 이 月달 월 三석 삼 月달 월 屬속할 속 之어조사 지 於늘 어 春봄 춘

四月五月六月은 屬之於夏하고

사월 오월 유월은 여름에 속하고

四넉 사 月달 월 五다섯 오 月달 월 六여섯 육 月달 월 屬속할 속 之어조사 지 於늘 어 夏여름 하

七月八月九月은 屬之於秋하고

칠월 팔월 구월은 가을에 속하고

七일곱 칠 月달 월 八여덟 팔 月달 월 九아홉 구 月달 월 屬속할 속 之어조사 지 於늘 어 秋가을 추

十月十一月十二月은

屬之於冬하니라

시월 십일월 십이월은 겨울에 속한다

十열 십 月달 월 十열 십 一한 일 月달 월 十열 십 二두 이 月달 월 屬속할 속 之어조사 지 於늘 어 冬겨울 동

晝長夜短而天地之氣大暑면

則爲夏하고

낮 시간이 길어지고 밤 시간이 짧아지면서 하늘과 땅의 기운이 크게 더워지면 여름이 되고

晝낮 주 長길 장 夜밤 야 短짧을 단 而말이을 이 天하늘 천 地땅 지 之어조사 지 氣기운 기 大큰 대 暑더울 서 則곧 즉 爲될 위 夏여름 하

夜長晝短而天地之氣大寒이

면 則爲冬이니

밤 시간이 길어지고 낮 시간이 짧아지면서 하늘과 땅의 기운이 크게 추워지면 겨울이 되니

夜밤 야 長길 장 晝낮 주 短짧을 단 而말이을 이 天하늘 천 地땅 지 之어조사 지 氣기운 기 大큰 대 寒찰 한 則곧 즉 爲될 위 冬겨울 동

春秋則晝夜長短이 平均하되

봄과 가을에는 낮과 밤의 시간이 길어지고 짧아지는 것이 같아지는데

春봄 춘 秋가을 추 則곧 즉 晝낮 주 夜밤 야 長길 장 短짧을 단 平평탄할 평 均고를 균

而春氣微溫하고 秋氣微涼이니라

봄의 기운은 조금 따뜻하고 가을의 기운은 조금 서늘하다

而말이을 이 春봄 춘 氣기운 기 微작을 미 溫따뜻할 온 秋가을 추 氣기운 기 微작을 미 涼서늘할 량

春三月盡則爲夏하고
夏三月盡則爲秋하고

봄 세 달이 다하면 여름이 되고 여름 세 달이 다하면 가을이 되고

春봄 춘 三석 삼 月달 월 盡다할 진 則곧 즉 爲될 위 夏여름 하 夏여름 하 三석 삼 月달 월 盡다할 진 則곧 즉 爲될 위 秋가을 추

秋三月盡則爲冬하고

冬三月盡則復爲春이니

가을 세 달이 다하면 겨울이 되고 겨울 세 달이 다하면 다시 봄이 되니

秋가을 추 三석 삼 月달 월 盡다할 진 則곧 즉 爲될 위 冬겨울 동 冬겨울 동 三석 삼 月달 월 盡다할 진 則곧 즉 復다시 부 爲될 위 春봄 춘

四時相代而歲功成焉이니라

사계절이 서로 이어져서 한 해의 결과가 이루어진다

四넉 사 時때 시 相서로 상 代대할 대 而말이을 이 歲해 세 功공 공 成이룰 성 焉어조사 언

春則萬物始生하고

夏則萬物長養하고

봄에는 온갖 물건이 처음으로 나오고 여름에는 온갖 물건이 잘 자라고

春봄 춘 則곧 즉 萬일만 만 物물건 물 始비로소 시 生날 생 夏여름 하 則곧 즉 萬일만 만 物물건 물 長길 장 養기를 양

秋則萬物成熟하고

冬則萬物閉藏하나니

가을에는 온갖 물건이 무르익고 겨울에는 온갖 물건이 감추어지니

秋가을 추 則곧 즉 萬일만 만 物물건 물 成이룰 성 熟익을 숙 冬겨울 동 則곧 즉 萬일만 만 物물건 물 閉닫을 폐 藏감출 장

然則萬物之所以生長收藏이

無非四時之功也니라

그러한즉 온갖 물건이 태어나고 자라며 거두고 감추어지는 것이 사계절의 결과가 아닌 것이 없는 것이다

然그러할 연 則곧 즉 萬일만 만 물건 물 之어조사 지 所바 소 以써 이 生날 생 長자랄 장 收거둘 수 藏감출 장 無없을 무 非아닐 비 四넉 사 時때 시 之갈 지 功공 공 也어조사 야

地篇

(지편: 땅에 관한 이야기)

地之高處便爲山이요

地之低處便爲水니

땅의 높은 곳이 곧 산이 되고, 땅의 낮은 곳에 곧 물이 고이니

地땅 지 之어조사 지 高높을 고 處곳 처 便곧 편 爲될 위 山 뫼 산 地땅 지 之어조사 지 低낮을 저 處곳 처 便곧 편 爲될 위 水물 수

水之小者를 謂川이요

水之大者를 謂江이요

물의 작은 것을 시냇물이라 말하고 물의 큰 것을 강이라고 말한다

水물 수 之어조사 지 小작을 소 者이것 자 謂이를 위 川내 천 水물 수 之어조사 지 大큰 대 者이것 자 謂이를 위 江강 강

山之卑者를 謂丘이요

山之峻者를 謂岡이니라

산의 낮은 곳을 구라 말하고 산의 높은 곳을 강이라 말한다

山뫼 산 之어조사 지 卑낮을 비 者이것 자 謂이를 위 丘언덕 구 山뫼 산 之어조사 지 峻높을 준 者이것 자 謂이를 위 岡산등성이 강

天下之山이 莫大於五嶽하니

천하의 산 중에서 오악보다 더 빼어난 산이 없다고 하니,

天하늘 천 下아래 하 之어조사 지 山뫼 산 莫말 막 大큰 대 於늘 어 五다섯 오 嶽큰산 악

五嶽者는 泰山 嵩山 衡山 恒山 華山也요

오악이란 태산 숭산 형산 항산 화산이다

天하늘 천 下아래 하 之어조사 지 山뫼 산 莫말 막 大큰 대 於늘 어 五다섯 오 嶽큰산 악
* 오악은 중국의 산을 말함

天下之水가 莫大於四海하니

천하의 물이 사해보다 더 큰 것이 없으니

天하늘 천 下아래 하 之어조사 지 水물 수 莫말 막 大큰 대 於늘 어 四넉 사 海바다 해

四海者는 東海 西海 南海 北海也니라

사해란 동해 서해 남해 북해이다

四넉 사 海바다 해 者이것 자 東동쪽 동 海바다 해 西서쪽 서 海바다 해 南남쪽 남 海바다 해 北북쪽 북 海바다 해 也어조사 야

山海之氣가 上與天氣相交면 則興雲霧하고

산과 바다의 기운이 위로 올라가 하늘의 기운과 서로 만나면 구름과 안개를 일으키고

山뫼 산 海바다 해 之어조사 지 氣기운 기 上윗 상 與더불어 여 天하늘 천 氣기운 기 相서로 상 交만날 교 則곧 즉 興일으킬 흥 雲구름 운 霧안개 무

降雨雪하며 爲霜露하고 生風雷니라

비와 눈으로 내리며 서리와 이슬이 되고 바람과 우레를 일으킨다

降내릴 강 雨비 우 雪눈 설 爲될 위 霜서리 상 露이슬 로 生날 생 風바람 풍 雷우레 뢰

暑氣蒸鬱이면 則油然而作雲하여 沛然而下雨하고

뜨거운 기운이 한곳에서 쪄지고 뭉치면 서서히 구름이 일어나서 세차게 비가 내리고

暑더울 서 氣기운 기 蒸찔 증 鬱답답할 울 則곧 즉 油구름일 유 然그러할 연 而말이을 이 作지을 작 雲구름 운 沛비올 패 然그러할 연 而말이을 이 下아래 하 雨비 우

寒氣陰凝이면 則露結而爲霜하고 雨凝而成雪이라

찬 기운이 응결하면 이슬이 맺히고 서리가 내리고 비가 차갑게 엉기어서 눈이 내린다

寒찰 한 氣기운 기 陰그늘 음 凝응결할 응 則곧 즉 露이슬 로 結맺을 결 而말이을 이 爲될 위 霜서리 상 雨비 우 凝응결할 응 而말이을 이 成이룰 성 雪눈 설

故로 春夏多雨露하고 秋冬多霜雪하니

이런 까닭으로 봄과 여름에는 비와 이슬이 많고 가을과 겨울에는 서리와 눈이 많으니

故연 고 春봄 춘 夏여름 하 多많을 다 雨비 우 露이슬 로 秋가을 추 冬겨울 동 多많을 다 霜서리 상 雪눈 설

變化莫測者는 風雷也이니라

변화가 심하여서 헤아릴 수 없는 것은 바람과 우레이다

變변화할 변 化변화할 화 莫말 막 測헤아릴 측 者이것 자 風바람 풍 雷우레 뢰 也어조사 야

古之聖王이 畫野分地하여 建邦設都하시니

옛날의 성스러운 임금이 들과 땅을 나누어 나라를 세우고 도읍을 설치하였으니

古옛 고 之어조사 지 聖성인 성 王임금 왕 畫그을 획 野들 야 分나눌 분 地땅 지 建세울 건 邦나라 방 設설치할 설 都도읍 도

四海之內에 其國有萬이요

而一國之中에

세상에는 그 나라가 일만 개나 있는데 한 나라 안에는

四넉 사 海바다 해 之어조사 지 內안 내 其그 기 國나라 국 有있을 유 萬일만 만 而말이을 이 一한 일 國나라 국 之어조사 지 中가운데 중

各置州郡焉하고 州郡之中에

各分鄕井焉하며

각각 주와 군을 두었고 주와 군의 가운데에 각각 향과 정을 나누었으며

各각각 각 置둘 치 州고을 주 郡고을 군 焉어조사 언 州고을 주 郡고을 군 之어조사 지 中가운데 중 各각각 각 分나눌 분 鄕고을 향 井고을 정 焉어조사 언

爲城郭하여 以禦寇하고

爲宮室하여 以處人하고

성곽을 만들어 나쁜 무리를 막고 궁과 실을 만들어 사람들을 살게 하고

爲만들 위 城재 성 郭성곽 곽 以써 이 禦막을 어 寇왜구 구 爲만들 위 宮집 궁 室집 실 以써 이 處거처할 처 人사람 인

爲耒耜하여 敎民耕稼하고

爲釜甑하여 敎民火食하고

쟁기와 보습을 만들어서 백성들에게 농사법을 가르치고 가마솥과 시루를 만들어 불 다루는 법과 요리법을 가르치고

爲만들 위 耒쟁기 뢰 耜보습 사 敎가르칠 교 民백성 민 耕밭갈 경 稼심을 가 爲만들 위 釜가마솥 부 甑가마솥 증 敎가르칠 교 民백성 민 火불 화 食먹을 식

作舟車하여 以通道路하시니라

배와 수레를 만들어 뱃길과 수렛길을 다닐 수 있게

하였다

作만들 작 舟배 주 車수레 거 以써 이 通통할 통 道도로 도 路길 로

金木水火土 在天에 爲五星이요 在地에 爲五行이니

금 목 수 화 토가 하늘에 있으면 오성이 되고 땅에 있으면 오행이 되니

金쇠 금 木나무 목 水물 수 火불 화 土흙 토 在있을 재 天하늘 천 爲될 위 五다섯 오 星별 성 在있을 재 地땅 지 爲될 위 五다섯 오 行행할 행

金以爲器하고 木以爲宮하고 穀生於土하여 取水火하여

쇠로써 그릇을 만들고 나무로써 집을 만들고 흙에서 곡식을 키워내어서 물과 불을 취하여

金쇠 금 以써 이 爲만들 위 器그릇 기 木나무 목 以써 이 爲만들 위 宮집 궁 穀곡식 곡 生자랄 생 於늘 어 土흙 토 取취할 취 水물 수 火불 화

爲飮食하니 則凡人日用之物

이 無非五行之物也니라

음식을 만드니 즉 여러 사람들이 날마다 쓰는 물건이 오행의 물건이 아닌 것이 없다

爲만들 위 飮마실 음 食먹을 식 則곧 즉 凡무릇 범 人사람 인 日날 일 用쓸 용 之어조사 지 物물건 물 無없을 무 非아닐 비 五다섯 오 行행할 행 之어조사 지 物물건 물 也어조사 야

五行이 固有相生之道하니

金生水하고 水生木하고

오행이 진실로 서로 살리는 규칙이 있으니 쇠는 물을 살리고 물은 나무를 살리고

五다섯 오 行행할 행 固진실로 고 有있을 유 相서로 상 生날 생 之어조사 지 道법 도 金쇠 금 生날 생 水물 수 水물 수 生날 생 木나무 목

木生火하고 火生土하고

土生金하고 金復生水하니

나무는 불을 살리고 불은 흙을 살리고 흙은 쇠를 살리고 쇠는 다시 물을 살리니

木나무 목 生날 생 火불 화 火불 화 生날 생 土흙 토 土흙 토 生날 생金쇠 금 金쇠 금 復다시 부 生날 생 水물 수

五行之相生也無窮하여

而人用不竭焉이니라

오행이 서로를 살려주는 규칙은 끝이 없어서 사람이 사용함에 다할 수 없다

五다섯 오 行행할 행 之어조사 지 相서로 상 生날 생 也어조사 야 無없을 무 窮다할 궁 而말이을 이 人사람 인 用쓸 용 不아니 부 竭다할 갈 焉어조사 언

五行이 亦有相克之理하니

土克水하고 水克火하고

오행이 또한 서로 다치게 하는 이치가 있으니 흙은 물을 다치게 하고 물은 불을 다치게 하고

五다섯 오 行행할 행 亦또 역 有있을 유 相서로 상 克이길 극 之어조사 지 理이치 리 土흙 토 克이길 극 水물 수 水물 수 克이길 극 火불 화

火克金하고 金克木하고

木克土하고 土復克水하니

불은 쇠를 다치게 하고 쇠는 나무를 다치게 하고 나무는 흙을 다치게 하고 흙은 다시 물을 다치게 하니

火불 화 克이길 극 金쇠 금 金쇠금 克이길 극 木나무 목 木나무 목 克이길 극 土흙 토 土흙 토 復다시 부 克이길 극 水물 수

乃操其相克之權하여 能用其相生之物者는 是人之功也니라

이에 그 서로를 다치게 하는 기세와 힘을 잡아서 능히 서로를 살리는 물건을 사용하는 것, 이것은 사람들이 만들어낸 결과이다

乃이에 내 操잡을 조 其그 기 相서로 상 克이길 극 之어조사 지 權권세 권 能능할 능 用쓸 용 其그 기 相서로 상 生날 생 之어조사 지 物물건 물 者이것 자 是이 시 人사람 인 之어조사 지 功공 공 也어조사 야

物篇

(물편 : 온갖 물건에 관한 이야기)

天地生物之數가

有萬其衆이로되

하늘과 땅 사이에서 태어나고 살아가는 생물의 수가, 그 무리가 일만 가지인데

天하늘 천 地땅 지 生날 생 物물건 물 之어조사 지 數셈 수 有있을 유 萬일만 만 其그 기 衆무리 중
*유만有萬:매우 많다는 뜻

而若言其動植之物이면

則草木禽獸蟲魚之屬이

最其較著者也니라

그 동물과 식물로 말할 것 같으면 초목 금수 충어의 등속이 가장 명확하게 드러난 것들이다

而말이을 이 若같을 약 言말씀 언 其그 기 動움직일 동 植심을 식 之어조사 지 物물건 물 則곧 즉 草풀 초 木나무 목 禽날짐승 금 獸들짐승 수 蟲벌레 충 魚물고기 어 之어조사 지 屬속할 속 最가장 최 其그 기 較비교할 교 著드러날 저 者이것 자 也어조사 야

飛者는 爲禽이요 走者는 爲獸요

鱗介者는 爲蟲魚요

나는 것은 날짐승이 되고 달리는 것은 들짐승이 되고 비늘과 껍질이 있는 것은 벌레와 물고기가 되고

飛날 비 者이것 자 爲될 위 禽날짐승 금 走달릴 주 者이것 자 爲될 위 獸들짐승 수 鱗비늘 린 介딱지 개 者이것 자 爲될 위 蟲벌레 충 魚물고기 어

根植者는 爲草木이니라

뿌리로 심겨진 것은 풀과 나무가 된다

根뿌리 근 植심을 식 者이것 자 爲될 위 草풀 초 木나무 목

飛禽은 卵翼하고
走獸는 胎乳하며

날짐승은 알로 낳아 날개로 품고 들짐승은 태로 낳아 젖을 먹이며

飛날 비 禽날짐승 금 卵알 란 翼날개 익 走달릴 주 獸들짐승 수 胎탯줄 태 乳젖 유

飛禽은 巢居하고

走獸는 穴處하며

날짐승은 둥지에서 살고 들짐승은 굴에서 살며

飛날 비 禽날짐승 금 巢새집 소 居살 거 走달릴 주 獸들짐승 수 穴구멍 혈 處살 처

蟲魚之物은 化生者最多而

亦多生於水濕之地니라

벌레와 물고기의 물건은 변화하여 태어나는 것이
가장 많고 또한 습지에서 살아가는 것이 많다

蟲벌레 충 魚물고기 어 之어조사 지 物물건 물 化변화 화 生날 생 者이것 자 最가장 최 多많을 다 而말이을 이 亦또 역 多많을 다 生날 생 於늘 어 水물 수 濕젖을 습 之어조사 지 地땅 지

春生而秋死者는 草也이요

봄에 피어나서 가을에 시들어 죽는 것은 풀이고

春봄 춘 生날 생 而말이을 이 秋가을 추 死죽을 사 者이것 자 草풀 초 也어조사 야

秋則葉脫而春復榮華者는 木也니라

가을이면 잎이 떨어지고 봄에 다시 꽃이 피고 번성하는 것은 나무이다

秋가을 추 則곧 즉 葉잎 엽 脫떨어질 탈 而말이을 이 春봄 춘 復다시 부 榮번영할 영 華화려할 화 者이것 자 木나무 목 也어조사 야

其葉蒼翠요 其花五色이니

그 잎이 푸르고 그 꽃이 오색이니

其그 기 葉잎 엽 蒼푸를 창 翠푸를 취 其그 기 花꽃 화 五다섯 오 色빛 색

其根深者는 枝葉必茂하고 其有花者는 必有實이니라

그 뿌리가 깊은 것은 가지와 잎이 반드시 무성하고 그 꽃이 있는 것은 반드시 열매를 맺는다

其그 기 根뿌리 근 深깊을 심 者이것 자 枝가지 지 葉잎 엽 必반드시 필 茂무성할 무 其그 기 有있을 유 花꽃 화 者이것 자 必반드시 필 有있을 유 實열매 실

虎豹犀象之屬은 在於山하고
牛馬鷄犬之物은 畜於家하니

호랑이 표범 무소 코끼리의 무리는 산에 있고 소 말 닭 개의 가축들은 집에서 기르니

虎범 호 豹표범 표 犀무소 서 象코끼리 상 之어조사 지 屬속할 속 在있을 재 於늘 어 山뫼 산 牛소 우 馬말 마 鷄닭 계 犬개 견 之어조사 지 物물건 물 畜기를 축 於늘 어 家집 가

牛以耕墾하고 馬以乘載하고
犬以守夜하고

소로써 밭을 갈고 말로써 타거나 싣고 개로써 밤을 지키게 하고

牛소 우 以써 이 耕밭갈 경 墾밭갈 간 馬말 마 以써 이 乘탈 승 載실을 재 犬개 견 以써 이 守지킬 수 夜밤 야

鷄以司晨하고 犀取其角하고 象取其牙하고 虎豹는 取其皮니라

닭으로써 새벽을 맡게 하고 무소는 그 뿔을 취하고 코끼리는 그 어금니를 취하고 호랑이와 표범은 그 가죽을 취한다

鷄닭 계 以써 이 司맡을 사 晨새벽 신 犀무소 서 取취할 취 其그 기 角뿔 각 象코끼리 상 取취할 취 其그 기 牙어금니 아 虎범 호 豹표범 표 取취할 취 其그 기 皮가죽 피

山林에 多不畜之禽獸하고

川澤에 多無益之蟲魚라

산림에는 기를 수 없는 들짐승과 날짐승이 많고 시냇물과 연못에는 유익하지 않는 벌레와 물고기가 많다

山뫼 산 林수풀 림 多많을 다 不아니 불 畜기를 축 之어조사 지 禽날짐승 금 獸들짐승 수 川내 천 澤연못 택 多많을 다 無없을 무 益더할 익 之어조사 지 蟲벌레 충 魚물고기 어

故로 人以力殺하고

人以智取하여

이런 까닭으로 사람이 힘으로써 죽이기도 하고 사람이 지혜로써 취하기도 하여

故연고 고 人사람 인 以써 이 力힘 력 殺죽일 살 人사람 인 以써 이 智지혜 지 取취할 취

或用其毛羽骨角하고 或供於

祭祀賓客飮食之間이니라

혹은 그 털 깃털 뼈 뿔 등을 이용하고 혹은 제사 지낼 때와 손님에게 음식을 대접할 때에 드리기도 한다

或혹 혹 用쓸 용 其그 기 毛털 모 羽깃 우 骨뼈 골 角뿔 각 或혹 혹 供바칠 공 於늘 어 祭제사 제 祀제사 사 賓손님 빈 客손님 객 飮마실 음 食먹을 식 之어조사 지 間사이 간

走獸之中에 有麒麟焉하고

飛禽之中에 有鳳凰焉하고

달리는 짐승 중에 기린이 있고 나는 새 중에 봉황이 있고

走달릴 주 獸들짐승 수 之어조사 지 中가운데 중 有있을 유 麒기린 기 麟기린 린 焉어조사 언 飛날 비 禽날짐승 금 之어조사 지 中가운데 중 有있을 유 鳳봉황 봉 凰봉황 황 焉어조사 언
*기린 봉황은 상상의 동물

蟲魚之中에 有靈龜焉하고

有飛龍焉하니

벌레와 물고기 중에 신령스러운 거북이 있고 나는 용이 있으니

蟲벌레 충 魚물고기 어 之어조사 지 中가운데 중 有있을 유 靈신령 령 龜거북 구 焉어조사 언 有있을 유 飛날 비 龍용 룡 焉어조사 언

此四物者는

乃物之靈異者也인대

이 네 가지 동물들은 세상의 물건 중에 신령하고 특이한 것들인데

此이 차 四넉 사 物물건 물 者이것 자 乃이에 내 物물건 물 之어조사 지 靈신령 령 異다를 이 者이것 자 也어조사 야

故로 或出於聖王之世하느니라

이런 까닭으로 혹 성스러운 임금의 세상에 나오는 것이다

故연고 고 或혹 혹 出날 출 於늘 어 聖성인 성 王임금 왕 之어조사 지 世세상 세

稻粱黍稷은

祭祀之所以供粢盛者也요

벼 수수 조 피는 제사 지낼 때 올리는 곡식이고

稻벼 도 粱수수 량 黍기장 서 稷피 직 祭제사 제 祀제사 사 之어조사 지 所바 소 以써 이 供바칠 공 粢곡식 자 盛성할 성 者이것 자 也어조사 야

豆菽麰麥之穀은

亦無非養人命之物이라

팥 콩 보리 등의 곡식은 또한 사람의 목숨을 기르는 물건 아닌 것이 없다

豆콩 두 菽콩 숙 麰보리 모 麥보리 맥 之어조사 지 穀곡식 곡 亦또 역 無없을 무 非아닐 비 養기를 양 人사람 인 命목숨 명 之어조사 지 物물건 물

故로 百草之中에 穀植最重이

요

이런 까닭으로 온갖 풀 가운데에 곡식이 가장 중요하다

故연고 고 百일백 백 草풀 초 之어조사 지 中가운데 중 穀곡식 곡 植심을 식 最가장 최 重무거울 중

犯霜雪而不凋하고 閱四時而

長春者는 松柏也이니

서리와 눈이 내려도 시들지 아니하고 사계절을 지나도록 봄처럼 오래도록 푸른 것은 소나무와 잣나무이니

犯범할 범 霜서리 상 雪눈 설 而말이을 이 不아니 불 凋시들 조 閱지날 열 四넉 사 時때 시 而말이을 이 長길 장 春봄 춘 者이것 자 松소나무 송 柏잣나무 백 也어조사 야

衆木之中에 松柏最貴니라

여러 나무 가운데에 소나무와 잣나무가 가장 귀하다

衆무리 중 木나무 목 之어조사 지 中가운데 중 松소나무 송 柏잣나무 백 最가장 최 貴귀할 귀

梨栗柿棗之果이 味非不佳也로되 其香芬芳이라

배 밤 감 대추 등의 과실이 맛이 좋지 않은 것이 없되 그 향기가 매우 좋고 아름답다

梨배나무 리 栗밤 율 柿감 시 棗대추 조 之어조사 지 果과실 과 味맛 미 非아닐 비 不아니 불 佳아름다울 가 也어조사 야 其그 기 香향기 향 芬꽃다울 분 芳꽃다울 방

故로 果以橘柚爲珍하고

蘿蔔蔓菁諸瓜之菜는

種非不多也로되

이런 까닭으로 과실은 귤과 유자를 보배로 여기고 무와 순무와 여러 가지 오이의 채소는 종류가 많지 않은 것은 아니지만

故연고 고 果과실 과 以써 이 橘귤나무 귤 柚유자나무 유 爲될 위 珍보배 진 蘿무 라 蔔무 복 蔓순무 만 菁순무 청 諸모두 제 瓜오이 과 之어조사 지 菜나물 채 種심을 종 非아닐 비 不아니 불 多많을 다 也어조사 야

其味辛烈이라
故로 菜以芥薑爲重하느니라

그 맛이 매우 매움이라 이런 까닭으로 채소는 겨자와 생강을 귀중하게 여긴다

其그 기 味맛 미 辛매울 신 烈매울 렬 故연고 고 菜나물 채 以써 이 芥겨자 개 薑생강 강 爲여길 위 重무거울 중

水陸草木之花에 可愛者甚繁이로되 而陶淵明은 愛菊하고

물이나 육지에 있는 풀과 나무의 꽃 중에는 사랑할 만한 것이 매우 많은데 도연명은 국화를 사랑하였고

水물 수 陸육지 륙 草풀 초 木나무 목 之어조사 지 花꽃 화 可가할 가 愛사랑 애 者이것 자 甚심할 심 繁번성할 번 而말이을 이 陶질그릇 도 淵연못 연 明밝을 명 愛사랑 애 菊국화 국
*도연명: 중국 동진 후기에서 남조 송대 초(365년~427년)의 시인

周濂溪는 愛蓮하고 富貴繁華之人은 多愛牧丹하나니

주렴계는 연꽃을 사랑하였고 부귀하고 번화한 사람들은 목단을 많이 사랑하였으니

周두루 주 濂청렴할 렴 溪시내 계 愛사랑 애 蓮연꽃 련 富부자 부 貴귀할 귀 繁번성할 번 華화려할 화 之어조사 지 人사람 인 多많을 다 愛사랑 애 牧칠 목 丹붉을 단
*주렴계: 중국 북송(960-1127)의 유교 사상가

淵明隱者라 故로 人以菊花로

比之於隱者하고

도연명은 은자라 이런 까닭으로 사람들이 국화로 써 은자에 비유하였고

淵연못 연 明밝을 명 隱숨을 은 者사람 자 故연고 고 人사람 인 以써 이 菊국화 국 花꽃 화 比견줄 비 之어조사 지 於늘 어 隱숨을 은 者사람 자

濂溪君子라 故로 人以蓮花로

比之於君子하고

주렴계는 군자라 이런 까닭으로 사람들이 연꽃으로써 군자에 비유하였고

濂청렴할 렴 溪시내 계 君임금 군 子자식 자 故연고 고 人사람 인 以써 이 蓮연꽃 연 花꽃 화 比견줄 비 之어조사 지 於늘 어 君임금 군 子자식 자

牧丹花之繁華者라 故로 人以牧丹으로 比之於繁華富貴之人이니라

목단은 꽃 중에서 가장 번화한 것이다. 이런까닭으로 사람들이 목단으로써 부귀하고 화려한 사람에게 비유하였다

牧칠 목 丹붉을 단 花꽃 화 之어조사 지 繁번성할 번 華화려할 화 者이것 자 故연고 고 人사람 인 以써 이 牧칠 목 丹붉을 단 比견줄 비 之어조사 지 於늘 어 繁번성할 번 華화려할 화 富부자 부 貴귀할 귀 之어조사 지 人사람 인

物之不齊는 乃物之情이라 故로 以尋丈尺寸으로 度物之長短하고

물건이 똑같지 않은 것은 바로 만물의 실정이다 이런 까닭으로 심 장 척 촌 으로써 사물의 길고 짧음을 헤아리고

物물건 물 之어조사 지 不아니 불 齊가지런할 제 乃이에 내 物물건 물 之어조사 지 情뜻 정 故연고 고 以써 이 尋자 심 丈길이 장 尺자 척 寸치 촌 度헤아릴 탁 物물건 물 之어조사 지 長길 장 短짧을 단
*尋(240cm) 丈(300cm) 尺(30cm) 寸(3cm)

以斤兩錙銖로稱物之輕重하고 以斗斛升石으로 量物之多寡니라

근 량 치 수로 사물의 가볍고 무거움을 헤아리고 두 곡 승 석 으로써 사물의 많고 적음을 헤아린다

以써 이 斤무게 근 兩근량 량 錙중량이름 치 銖중량이름 수 稱저울 칭 物물건 물 之어조사 지 輕가벼울 경 重무거울 중 以써 이 斗말 두 斛열말 곡 升되 승 石섬 석 量헤아릴 양 物물건 물 之어조사 지 多많을 다 寡적을 과
*斤(기장쌀 3840알의 무게) 兩(기장쌀240알의 무게) 錙(기장쌀60알의 무게) 銖(기장쌀 10알의 무게)
*斗(18리터) 斛(90리터) 升(1.8리터) 石(180리터)

算計萬物之數는 莫便於九九하니

만물의 수를 계산하는 것은 구구단보다 편한 것이 없으니

算셀 산 計계산할 계 萬일만 만 物물건 물 之어조사 지 數셈 수 莫말 막 便편할 편 於늘 어 九아홉 구 九아홉 구

所謂九九者는 九九八十一之數也니라

구구라는 것은 구구단(구구팔십일)의 수를 말하는 것이다

所바 소 謂이를 위 九아홉 구 九아홉 구 者이것 자 九아홉 구 九아홉 구 八여덟 팔 十열 십 一한 일 之어조사 지 數셈 수 也어조사 야

人篇

(인편: 사람에 관한 이야기)

萬物之中에 惟人最靈하니

有父子之親하며

만물 중에 오직 사람만이 가장 신령하니 부모와 자식은 친함이 있으며

萬일만 만 物물건 물 之어조사 지 中가운데 중 惟오직 유 人사람 인 最가장 최 靈신령 령 有있을 유 父부모 부 子자식 자 之어조사 지 親친할 친

有君臣之義하며

有夫婦之別하며

임금과 신하는 의리가 있으며 남편과 아내는 분별이 있으며

有있을 유 君임금 군 臣신하 신 之어조사 지 義뜻 의 有있을 유 夫남편 부 婦아내 부 之어조사 지 別나눌 별

有長幼之序하며

有朋友之信이니라

어른과 아이는 순서가 있으며 친구 사이는 믿음이 있다

有있을 유 長어른 장 幼어린아이 유 之어조사 지 序질서 서 有있을 유 朋벗 붕 友벗 우 之어조사 지 信믿을 신

生我者爲父母이요

我之所生이 爲子女이요

나를 낳은 사람은 부모가 되고 내가 낳은 바가 자녀가 되고

生날 생 我나 아 者사람 자 爲될 위 父아버지 부 母어머니 모 我나 아 之어조사 지 所바 소 生날 생 爲될 위 子아들 자 女딸 여

父之父爲祖이요

子之子爲孫이요

부모님의 부모님은 할아버지와 할머니가 되고 자식의 자식은 자손이 된다

父부모 부 之어조사 지 父부모 부 爲될 위 祖조상 조 子자식 자 之어조사 지 子자식 자 爲될 위 孫자손 손

與我同父母者爲兄弟이요

父母之兄弟爲叔이요

나와 부모님이 같은 자가 형제가 되고 부모님의 형제는 삼촌이 되고

與더불어 여 我나 아 同같을 동 父아버지 부 母어머니 모 者사람 자 爲될 위 兄만 형 弟아우 제 父아버지 부 母어머니 모 之어조사 지 兄만 형 弟아우 제 爲될 위 叔아저씨 숙

兄弟之子女爲姪이요

子之妻爲婦이요

女之夫爲婿이니라

형제의 자녀는 조카가 되고 아들의 아내는 며느리가 되고 딸의 남편은 사위가 된다

兄만 형 弟아우 제 之어조사 지 子아들 자 女딸 여 爲될 위 姪조카 질 子아들 자 之어조사 지 妻아내 처 爲될 위 婦며느리 부 女딸 여 之어조사 지 夫남편 부 爲될 위 婿사위 서

有夫婦然後에 有父子하니

夫婦者는 人道之始也라

남편과 아내가 있은 후에 부모와 자식이 있으니 부부는 사람이 지켜야 할 규칙의 시작이다

有있을 유 夫남편 부 婦아내 부 然그러할 연 後뒤 후 有있을 유 父부모 부 子자식 자 夫남편 부 婦아내 부 者사람 자 人사람 인 道법도 도 之어조사 지 始비로소 시 也어조사 야

故로 古之聖人이

制爲婚姻之禮하여

以重其事하시니라

이런 까닭으로 옛날의 성인이 혼인하는 예를 만들어서 그 일을 중요하게 여기신 것이다

故연고 고 古옛 고 之어조사 지 聖성인 성 人사람 인 制지을 제 爲될 위 婚결혼할 혼 姻결혼할 인 之어조사 지 禮예절 예 以써 이 重중요할 중 其그 기 事일 사

人非父母면 無從而生이요

사람이 부모가 아니면 따라서 태어날 수 없다

人사람 인 非아닐 비 父아버지 부 母어머니 모 無없을 무 從따를 종 而말이을 이 生날 생

且人生三歲然後에

始免於父母之懷라

또한 사람이 태어나서 세 살이 된 후에야 비로소 부모님의 품을 벗어나게 된다

且또 차 人사람 인 生날 생 三석 삼 歲해 세 然그러할 연 後뒤 후 始비로소 시 免면할 면 於늘 어 父아버지 부 母어머니 모 之어조사 지 懷품을 회

故로 欲盡其孝한대

則服勤至死하고

이런 까닭으로 그 효도를 극진하게 하고자 한다면 부지런히 힘써 죽음에 이를 때까지 실천하고

故연고 고 欲하고자할 욕 盡다할 진 其그 기 孝효도 효 則곧 즉 服일할 복 勤삼갈 근 至이를 지 死죽을 사

父母沒則致喪三年하여

以報其生成之恩이니라

부모님이 돌아가시면 3년 동안 제사를 지극히 하여 낳아주시고 길러주신 은혜에 보답해야 한다

父아버지 부 母어머니 모 沒사라질 몰 則곧 즉 致이를 치 喪제사 상 三석 삼 年해 년 以써 이 報갚을 보 其그 기 生날 생 成이룰 성 之갈 지 恩은혜 은

耕於野者는 食君之土하고

立於朝者는 食君之祿이니

들에서 밭을 가는 자는 임금의 토지에서 살고 조정에 서는 자는 임금의 녹봉을 받았으니

耕밭 갈 경 於늘 어 野들 야 者사람 자 食먹을 식 君임금 군 之어조사 지 土흙 토 立설 립 於늘 어 朝조정 조 者사람 자 食먹을 식 君임금 군 之어조사 지 祿녹봉 록

人이 固非父母則不生이요

亦非君則不食이라

사람이 진실로 부모가 아니면 태어나지 못하고 또한 임금이 아니면 먹지 못한다

人사람 인 固진실로 고 非아닐 비 父아버지 부 母어머니 모 則곧 즉 不아니 불 生날 생 亦또 역 非아닐 비 君임금 군 則곧 즉 不아니 불 食먹을 식

故로 臣之事君을

如子之事父하여

이런 까닭으로 신하가 임금을 섬기는 것을 자식이 부모를 섬기는 것과 같이 하여

故연고 고 臣신하 신 之어조사 지 事섬길 사 君임금 군 如같을 여 子자식 자 之어조사 지 事섬길 사 父부모 부

唯義所在에

則舍命效忠이니라

오직 의리가 있는 곳에는 목숨을 버릴 만큼 충성을 다하는 것이다

唯오직 유 義뜻 의 所바 소 在있을 재 則곧 즉 舍버릴 사 命목숨 명 效본받을 효 忠충성 충

人於等輩에 尙不可相踰인대

같은 부류의 사람 중에도 오히려 서로가 함부로 대해서는 안 되는데

人사람 인 於늘 어 等같을 등 輩무리 배 尙오히려 상 不아니 불 可가할 가 相서로 상 踰넘을 유

況年高於我하고 官貴於我하고 道尊於我者乎아

하물며 나보다 나이가 많고 나보다 벼슬이 귀하고 나보다 도가 높은 자에게 있어서랴

況하물며 황 年해 년 高높을 고 於늘 어 我나 아 官벼슬 관 貴귀할 귀 於늘 어 我나 아 道법도 도 尊높을 존 於늘 어 我나 아 者사람 자 乎어조사 호

故로 在鄕黨則敬其齒하고

이런 까닭으로 향당에 있어서는 그 나이 많은 이를 공경하고

故연고 고 在있을 재 鄕마을 향 黨무리 당 則곧 즉 敬공경할 경 其그 기 齒나이 치
*향당鄕黨: 자신이 태어나 살고 있는 마을

在朝廷則敬其爵하며

尊其道而敬其德이 是禮也라

조정에 있어서는 그 벼슬로 공경하고 그 도를 높이면서 그 덕을 공경하는 것이 예절인 것이니라

在있을 재 朝조정 조 廷조정 정 則곧 즉 敬공경할 경 其그 기 爵벼슬 작 尊높을 존 其그 기 道법도 도 而말이을 이 敬공경할 경 其그 기 德덕 덕 是이 시 禮예절 예 也어조사 야

曾子曰 君子는 以文會友하고

以友輔仁이라하시니

증자가 말씀하시기를 군자는 글로써 벗을 모으고 벗으로써 인을 돕는다고 하셨으니

曾일찍 증 子사람 자 曰가로 왈 君임금 군 子자식 자 以써 이 文글월 문 會모일 회 友벗 우 以써 이 友벗 우 輔보탤 보 仁어질 인
*증자: 중국 전국 시대(기원전 505년~기원전 435년)의 사상가 名은 삼(參) 字는 자여(子輿)

蓋人不能無過而朋友有責善之道이라

대체로 사람이 허물이 없을 수 없되 친구 사이에는 서로를 잘 이끌어주는 법이 있다

蓋대체로 개 人사람 인 不아니 불 能능할 능 無없을 무 過허물 과 而말이을 이 朋벗 붕 友벗 우 有있을 유 責책할 책 善착할 선 之어조사 지 道법도 도

故로 人之所以成就其德性者는 固莫大於師友之功이라

이런 까닭으로 사람이 덕성을 성취하게 되는 것은 진실로 스승과 벗의 공보다 더 큰 것이 없다

故연고 고 人사람 인 之어조사 지 所바 소 以써 이 成이룰 성 就취할 취 其그 기 德덕 덕 性성품 성 者이것 자 固진실로 고 莫말 막 大큰 대 於늘 어 師스승 사 友벗 우 之어조사 지 功공 공

雖然이나 友有益友하고

亦有損友하니

取友不可不端也이니라

비록 그러하더라도 벗에는 유익한 벗이 있고 또한 손해를 입히는 벗이 있으니 벗을 취하기를 바르게 하지 않을 수 없다

雖비록 수 然그러할 연 友벗 우 有있을 유 益더할 익 友벗 우 亦또 역 有있을 유 損손해날 손 友벗 우 取취할 취 友벗 우 不아니 불 可가할 가 不아니 부 端실마리 단 也어조사 야

同受父母之餘氣하여

以爲人者 兄弟也라

부모님의 남은 기운을 함께 받아서 사람이 된 자가 형제이다

同같을 동 受받을 수 父아버지 부 母어머니 모 之어조사 지 餘남을 여 氣기운 기 以써 이 爲될 위 人사람 인 者사람 자 兄맏 형 弟아우 제 也어조사 야

且人之方幼也에

食則連牀하고

寢則同衾하여

또한 사람이 어린 시절에 음식을 먹을 때는 같은 밥상에서 먹고 잠을 잘 때에는 이불을 같이 덮어서

且또 차 人사람 인 之어조사 지 方바야흐로 방 幼어릴 유 也어조사 야 食먹을 식 則곧 즉 連이을 련 牀상 상 寢잠잘 침 則곧 즉 同같을 동 衾이불 금

共被父母之恩者는

亦莫如我兄弟也라

함께 부모님의 은혜를 입은 자는 또한 나의 형제만 같지 못하다

共함께 공 被입을 피 父아버지 부 母어머니 모 之어조사 지 恩은혜 은 者사람 자 亦또 역 莫말 막 如같을 여 我나 아 兄맏 형 弟아우 제 也어조사 야

故로 愛其父母者는

亦必愛其兄弟니라

이런 까닭으로 그 부모를 사랑하는 자는 또한 반드시 그 형제를 사랑하는 것이다

故연고 고 愛사랑 애 其그 기 父아버지 부 母어머니 모 者사람 자 亦또 역 必반드시 필 愛사랑 애 其그 기 兄맏 형 弟아우 제

宗族이 雖有親疎遠近之分이나

종족이 비록 친하고 소원하며 멀고 가까운 구분이 있지만

宗으뜸 종 族겨레 족 雖비록 수 有있을 유 親친 할 친 疎거칠 소 遠멀 원 近가까울 근 之어조사 지 分나눌 분

然이나 推究其本하면

則同是祖先之骨肉이니

그러나 그 근본을 깊이 생각해 보면 모두가 같은 조상의 뼈와 살인 것이니

然그러할 연 推밀 추 究연구할 구 其그 기 本근본 본 則곧 즉 同같을 동 是이 시 祖조상 조 先먼저 선 之어조사 지 骨뼈 골 肉살 육

苟於宗族에 不相友愛하면

則是忘其本也라

만약에 같은 민족에게 서로 우애하지 않는다면 즉 이것은 그 근본을 잊는 것이다

苟만약 구 於늘 어 宗으뜸 종 族겨레 족 不아니 불 相서로 상 友벗 우 愛사랑 애 則곧 즉 是이 시 忘잊을 망 其그 기 本근본 본 也어조사 야

人而忘本이면

家道漸替리라

사람으로서 근본을 잊으면 집안의 질서가 점점 침체될 것이다

人사람 인 而말이을 이 忘잊을 망 本근본 본 家집 가 道법도 도 漸점차 점 替잠길 잠

父慈而子孝하며

兄愛而弟敬하며

부모는 자애롭고 자식은 효도하며 형은 우애하고 아우는 공경하며

父부모 부 慈사랑할 자 而말이을 이 子자식 자 孝효도 효 兄맏 형 愛사랑 애 而말이을 이 弟아우 제 敬공경할 경

夫和而妻順하며

事君忠而接人恭하며

남편은 자상하고 아내는 부드럽게 하며 임금을 섬기기를 충실히 하고 사람을 대하기를 공손하게 하며

夫남편 부 和온화할 화 而말이을 이 妻아내 처 順순할 순 事섬길 사 君임금 군 忠충실할 충 而말이을 이 接접할 접 人사람 인 恭공손할 공

與朋友信而撫宗族厚면

可謂成德君子也니라

친구와는 미덥고 같은 민족을 어루만지기를 돈독하게 하면 덕을 이룬 군자라고 말할 수 있다

與더불어 여 朋벗 붕 友벗 우 信믿을 신 而말이을 이 撫어루만질 무 宗으뜸 종 族겨레 족 厚두터울 후 可가할 가 謂이를 위 成이룰 성 德덕 덕 君임금 군 子자식 자 也어조사 야

凡人稟性이 初無不善하여

무릇 사람의 타고난 성품이 처음부터 착하지 않음이 없어서

凡무릇 범 人사람 인 稟받을 품 性성품 성 初처음 초 無없을 무 不아니 불 善착할 선

愛親敬兄忠君弟長之道가

皆已具於吾心之中하니

부모를 사랑하고 형을 공경하며 임금에게 충실하고 어른을 공경하는 법도가 모두 이미 내 마음 가운데 갖추어져 있으니

愛사랑 애 親친할 친 敬공경할 경 兄맏 형 忠충실할 충 君임금 군 弟공경할 제 長어른 장 之어조사 지 道법도 도 皆모두 개 已이미 이 具갖출 구 於늘 어 吾나 오 心마음 심 之어조사 지 中가운데 중

固不可求之於外面이요

而惟在我力行而不已也니라

진실로 밖으로부터 구하는 것이 아니고 오직 내가 힘써 행하여 그치지 않음에 달려 있을 뿐이다

固진실로 고 不아니 불 可가할 가 求구할 구 之어조사 지 於늘 어 外밖 외 面얼굴 면 而말이을 이 惟오직 유 在있을 재 我나 아 力힘 력 行행할 행 而말이을 이 不아니 불 已그칠 이 也어조사 야

人非學問이면

固難知其何者爲孝이며

사람이 학문이 아니면 진실로 그 무엇이 효도가 되며

人사람 인 非아닐 비 學배울 학 問물을 문 固진실로 고 難어려울 난 知알 지 其그 기 何어찌 하 者이것 자 爲될 위 孝효도 효

何者爲忠이며

何者爲弟이며

何者爲信이라

무엇이 충실함이 되며 무엇이 공손함이 되며 무엇이 믿음이 되는지 알기 어렵다

何어찌 하 者이것 자 爲될 위 忠충실할 충 何어찌 하 者이것 자 爲될 위 弟공손할 제 何어찌 하 者이것 자 爲될 위 信믿을 신

故로 必須讀書窮理하여

求觀於古人하고

이런 까닭으로 반드시 모름지기 책을 읽고 이치를 구궁하여 옛 사람에게서 관찰하여 구하고

故연고 고 必반드시 필 須모름지기 수 讀읽을 독 書글 서 窮다할 궁 理이치 리 求구할 구 觀볼 관 於늘 어 古옛 고 人사람 인

體驗於吾心하여 得其一善하여

勉行之하면

내 마음에서 체험하여 그 하나라도 선함을 얻어서 힘써 행동하면

體몸 체 驗징험할 험 於늘 어 吾나 오 心마음 심 得얻을 득 其그 기 一한 일 善착할 선 勉힘쓸 면 行행할 행 之어조사 지

則孝弟忠信之節이 自無不合於天敍之則矣리라

곧 효 제 충 신 의 규칙이 스스로 하늘 질서의 법칙에 맞지 않음이 없게 된다

則곧 즉 孝효도 효 弟공손할 제 忠충실할 충 信믿을 신 之어조사 지 節마디 절 自스스로 자 無없을 무 不아니 불 合합할 합 於늘 어 天하늘 천 敍질서 서 之어조사 지 則법칙 칙 矣어조사 의

收斂身心이 莫切於九容하니

나의 몸과 마음을 거두어 들이는 것이 구용보다 간절한 것이 없으니

收거둘 수 斂거둘 렴 身몸 신 心마음 심 莫말 막 切간절할 절 於늘 어 九아홉 구 容용납할 용

所謂九容者는 足容重하고 手容恭하고 目容端하고

구용이라고 말하는 것은 발걸음은 무거운 듯 조심하고 손동작은 공손하게 예절을 지키고 내 눈에 보이는 것은 바르게 살펴야 하고

所바 소 謂이를 위 九아홉 구 容용납할 용 者이것 자 足발 족 容용납할 용 重무거울 중 手손 수 容용납할 용 恭공손할 공 目눈 목 容용납할 용 端바를 단

口容止하고 聲容靜하고 頭容直하고

입으로는 필요한 말이 아니면 하지 말고 목소리는 편안히 들을 수 있도록 조금 낮추고 머리의 모양새는 반듯하게 하고

口입 구 容용납할 용 止그칠 지 聲소리 성 容용납할 용 靜고요할 정 頭머리 두 容용납할 용 直곧을 직

氣容肅하고 立容德하고 色容莊하니라

숨쉴 때는 부드럽게 들이마셨다가 천천히 내뱉고 서 있을 때에는 어깨를 펴고 반듯한 자세를 하고 얼굴 표정은 밝고 활기차게 하는 것이다

氣기운 기 容용납할 용 肅엄숙할 숙 立설 립 容용납할 용 德덕 덕 色얼굴 색 容용납할 용 莊씩씩할 장

進學益智가 莫切於九思하니

배움에 나아가서 지혜가 유익하게 되는 것은 구사보다 간절한 것이 없으니

進나아갈 진 學배울 학 益유익할 익 智지혜 지 莫말 막 切간절할 절 於늘 어 九아홉 구 思생각할 사

所謂九思者는 視思明하고 聽思聰하고 色思溫하고

구사라고 말하는 것은 눈으로 볼 때에는 정확하게 볼 것을 생각하고 귀로 들을 때에는 나에게 말하는 참뜻을 생각하고 다른 사람을 대하는 나의 표정은 정다울 것을 생각하고

所바 소 謂이를 위 九아홉 구 思생각할 사 者이것 자 視볼 시 思생각할 사 明밝을 명 聽들을 청 思생각할 사 聰총명할 총 色얼굴 색 思생각할 사 溫따뜻할 온

貌思恭하고 言思忠하고 事思敬하고

나의 행동은 상대방을 존중할 것을 생각하고 내가 하는 말은 마음에서 우러나옴을 생각하고 어른을 섬기는 일은 공경하게 할 것을 생각하고

貌모양 모 思생각할 사 恭공손할 공 言말씀 언 思생각할 사 忠충실할 충 事섬길 사 思생각할 사 敬공경할 경

疑思問하고 忿思難하고 見得思義니라

궁금한 일은 물을 것을 생각하고 화가 날 때는 사과하고 용서하는 것이 어렵다는 것을 생각하고 이익이 생기면 공평하게 나누어 의리를 지킬 것을 생각하는 것이다

疑의심할 의 思생각할 사 問물을 문 忿화낼 분 思생각할 사 難어려울 란 見볼 견 得얻을 득 思생각할 사 義의로울 의

저자소개

無性 李民炯 (한학자, 서예가)

채비움 서당 훈장
동국대학교 문화예술대학원 불교미술학과 졸업
한국미술협회 회원(서예분과)
관악현대미술대전 초대작가
대한민국학원연합회 초대작가
(사)공동육아와 공동체교육 자문위원
서울 성서초등학교 운영위원회 지역위원 역임

수상 및 전시
대한민국미술대전(미협) 특선, 입선
원각서예문인화대전 대상
탄허선서함양 전국휘호대회 대상 외 다수
초대전 및 개인전 14회

강의
공동육아와 공동체교육 교사 연수 / 서울 마포구 성서초등학교 교사 연수 / 하남 지역 아동센터 학생 고전인문학 강의 / 서울 마포구 성서초등학교 부모인문학 강의 / 서울 마포구립 성미어린이집 부모인문학 강의 / 서울 강서구 목3동 주민 워크샵 / (주)글로우 웨일인문학강의 외 다수

방송 및 언론
OBS「오늘은 경인세상」/ KBS「세상의 아침」/ KBS 라디오「오늘아침1라디오」/ MBC「다큐멘터리 출가」/ 강서TV「예절을 배우는 아이들」/ 마포FM「송덕호의 마포 속으로」/ 세계일보「편완식이 만난 사람」 한계레신문사「사람」외 다수

기고
불교저널「성미산이야기 /자연생태」 연재

저서
『성미산이야기』 /『108가지 마음찾기』/『공자가 들려주는 지혜』/『훈장님과 함께 읽는 천자문』/『따라쓰는 천자문』/『도덕경과 함께 하는 오늘』 /『부모가 함께 읽는 사자소학』/『내가 읽고 따라 쓰는 사자소학』

현재
현재 강원도 홍천에서 별달농장을 일구며 고전 강독과 저술작업을 하며 서울시 마포구 성미산에서 자연보호 활동및 서예, 그림, 사진 등의 작품 활동을 하고 있다.

맑은 마음으로 읽는
계몽편

編譯 이민형

펴낸곳 도서출판 도반
펴낸이 이상미
편집 김광호, 이상미
대표전화 031-465-1285
이메일 dobanbooks@naver.com
주소 경기도 안양시 만안구 안양로 332번길 32
홈페이지 http://dobanbooks.co.kr